원하는 모든 것을 끌어당기는 13단계

실비안 누치오

The 13 Steps To Attract Everything You Want!

By

Sylviane Nuccio

원하는 모든 것을 끌어당기는 13단계

발 행 | 2024년 7월 29일
저 자 | 실비안 누치오 / 김어진 옮김
펴낸이 | 한건희
펴낸곳 | 주식회사 부크크
출판사등록 | 2014.07.15.(제2014-16호)
주 소 | 서울특별시 금천구 가산디지털1로 119 SK트윈타워 A동 305호
전 화 | 1670-8316
이메일 | info@bookk.co.kr

ISBN | 979-11-410-9775-2

목차

들어가며

나는 수년 동안 우주의 법칙을 연구해왔습니다. 우주의 가장 강력한 법칙 중 하나는 끌어당김의 법칙입니다. 하지만 끌어당김의 법칙이란 무엇일까요? 당신은 이 법칙에 대해 충분히 이해하고 있습니까? 끌어당김의 법칙이 지금 당신의 삶에 어떤 영향을 미치는지 알고 있나요? 그것은 과거에 당신 삶에 어떤 영향을 끼쳤으며, 미래에 또 어떤 영향을 미칠까요?

끌어당김의 법칙이란 무엇인가?

끌어당김의 법칙에 대해 가장 먼저 이해해야 할 것은, 그것은 "일어나는" 것이 아니라, 항상 존재하고 있다는 것입니다. 당신이 원하든 원하지 않든, 동의하든 동의하지 않든, 알고 있든 그렇지 않든 또는 이해하든 이해하지 못하든, 끌어당김의 법칙은 줄곧 당신의 삶에서 발현됐습니다.

대부분의 사람들은 끌어당김의 법칙을 알지 못한 채 평생을 살아갑니다. 이것은 자신에게 무엇이 어떻게, 왜 일어나는지 모른 채 인생을 살고 있음을 의미합니다. 하지만 그렇다고 해서, 사람들이 자기 인생에서 이런저런 것들과 사건을 끌어들이지 않을까요? 아니, 이것이 의미하는 바는, 사람들이 기본적인 디폴트 값으로 이런저런 것들을 자기 삶으로 끌어당기고 있다는 것입니다.

끌어당김의 법칙을 모른다고 해서 그것이 당신 삶에 작동하지 않는 것이 아닙니다. 그런 것은 불가능합니다. 하지만 끌어당김의 법칙을 인식하지 않기 때문에, 기본값으로 끌어당기고 있는 것입니다. 기본값으로 끌어당길 때, 우리는 원치 않는 것들을 끌어당기게 됩니다.

설명하자면…

끌어당김의 법칙은 우리 마음에서 시작되며 잠재의식이

라고 불리는, 우리 마음의 가장 깊은 부분에서 시작됩니다. 다시 말해서, 끌어당김의 법칙은 우리의 생각과 함께 작용합니다.

우리는 매일 수천 개의 생각을 처리합니다. 설사 원한다 해도 생각을 멈출 수는 없습니다. 문제는, 일부 연구에 따르면 우리 생각의 80~90%가 부정적인 것으로 나타났다는 데 있습니다. 그렇습니다. 주의하지 않으면 우리 생각의 대부분은 부정적인 것이 되고 맙니다. 그런데 왜 그런 것일까요?

우리 생각은 왜 부정적일까?

글쎄, 생각이 주로 부정적인 이유의 대부분은 우리가 부정적인 세상에 살고 있기 때문입니다. 뉴스를 보십니까? 마지막으로 긍정적인 뉴스를 본 적이 언제였나요? 뉴스라는 비즈니스는 기본적으로 부정적인 것입니다. 드라마, 재난, 전쟁, 경제 악화.... 등등.

전 세계가 매일 나쁜 뉴스에 흠뻑 젖어 있습니다. 사실,

TV나 라디오를 차단해서 그런 나쁜 뉴스를 피하고자 한다면, 어딘가에서 누군가가 그것에 대해 이야기할 것입니다. 그렇습니다. 우리가 부정적인 생각을 하는 가장 큰 이유 중 하나는 우리가 부정적인 쪽으로 조율된 세상에 살고 있기 때문입니다.

우리가 부정적인 것에 집착하는 또 다른 이유는 우리 자신의 내면의 딜레마와 문제도 있기 때문입니다. 우리는 모두 불완전하며 우리에게 - 물론 대부분의 경우는 무의식적인 것이지만, 어쨌거나 - 그들 자신의 딜레마와 문제를 야기한 불완전한 부모 밑에서 자랐습니다. 그리고 나쁘거나 부정적인 경험에 의해 야기된 우리 자신의 문제도 있습니다. 그러므로 우리 마음이 왜 부정적인 생각에 치우쳐 있는지 의아해할 이유가 없습니다. 세상 거의 모든 것이 그렇게 되도록 열심히 노력하고 있기 때문입니다.

그렇다면 이것을 어떻게 바꿀 수 있을까?

당신이 집중하는 것이 당신의 삶에서 확장된다는 것을 기억해야 합니다. 그렇습니다. 당신이 집중하는 것이 시간이 지나면서 항상 당신의 삶에서 실현됩니다. 그리고 이것을 끌어당김의 법칙이라고 부릅니다.

오늘 주변에서 볼 수 있는 것은 당신이 어제 초점을 맞춰 생각했던 것에서 비롯됩니다. 인생에서 가지고 있는 것을 바꾸고 싶다면, 진정으로 원하는 것을 생각하고 거기에 초점을 맞추기 시작하세요. 그리고 원하지 않는 것에는 더 이상 집중하지 마세요. 당신이 오늘 생각하거나 집중하고 있는 것이 내일 당신의 삶을 바꿀 것입니다.

그렇다면 어떻게 하면 원하는 방식으로 삶을 바꾸기 위해 생각, 즉 초점을 바꾸기 시작할 수 있을까요?

1937년에 출판된 나폴레옹 힐의 베스트셀러 "생각하라 그리고 부자가 되어라(Think and Grow Rich)"에서는 인생을 되돌리기 위해 우리가 따라야 할 13가지 중요한 단계에 대해 이야기합니다. 그 단계는 다음과 같습니다.

- **욕망**

- 신념

- 자기암시

- 전문지식

- 상상력

- 체계적인 계획

- 결단

- 끈기

- 협력자

- 성충동의 전환

- 잠재의식

- 두뇌 개발

- 제6감

나는 나폴레옹 힐의 저서를 처음 읽었던 2006년부터 각각의 단계를 분석하고 실천했습니다. 이 매뉴얼은 나폴레옹 힐의 책을 연구한 것을 응용하고 성취한 결과물입니다. 당신이 이 모든 단계를 하나하나 가슴에 새기고 직업과 감정, 개인적 삶에서 원하는 변화를 만들어낼 수 있도록 도움이 되었으면 하는 것이 나의 바람입니다.

욕망 - 성공을 향한 첫걸음

욕망은 성공을 이루기 필요한 첫걸음입니다. 그의 유명한 저서 "생각하라 그리고 부자가 되어라"에서 나폴레옹 힐은 욕망 없이는 원하는 것을 얻는 것이 불가능하다고 언급합니다. 그렇다면 욕망이란 무엇이며, 나폴레옹 힐이 말하는 것처럼 "불타는 욕망"을 갖는 것이 왜 그렇게 중요할까요?

많은 이들이 소원을 빌고 희망을 품습니다. 사람들은 할 수 있으면 좋겠다, 되기를 바란다, 바라건대... 등. 이와 같은 말들을 합니다. 하지만 우리 모두 그런 진술 중 어느 것도 그 누구에게도 성공을 가져다주지 않았다는 사실을 알고 있습니다. 그 이유는 "바라는 것"과 "희망하는 것"은 성공에 필요한 강한 감정, 즉 "욕망"과 아무 상관이 없기 때문입니다.

욕망이란 무엇인가?

그래요, 정말입니다. 욕망은 당신이 가졌을지도 모르는 희망과는 아무 상관이 없습니다.

욕망은 감정을 더해서 마음속에 목표를 달성하려는 목적적 의도입니다. 무언가를 얻거나 취하려는 강한 열망은 실제로 강박관념에 비유할 수 있습니다. 둘 사이의 차이는, 하나는 원하는 것을 얻고 즐기도록 유도하는 "긍정적인 집착"이라는 점에 있습니다.

나폴레옹 힐의 저서 "생각하라 그리고 부자가 되어라"를 읽기 몇 년 전, 끌어당김의 법칙과 잠재의식의 작용에 대해 연구하기 전에 나는 불타는 욕망을 통해 나도 모르게 내가 원하는 것을 끌어당겼습니다.

그리고 그게 뭐였는지 말하자면, 그것이 쉽게 끌어당길 수 있는 게 아니었음을 인정해야 할 것입니다.

욕망에 관한 실화

나는 프랑스 리옹에서 태어나 대도시 외곽의 작은 마을에서 자랐습니다. 우리가 그곳으로 이사했을 때, 그 마을에는 겨우 250여 명의 주민이 살고 있었습니다. 사실, 그곳에서는 어느 날이나 차보다는 도로를 지나가는 소를 더 많이 볼 수 있다고 말할 수 있었습니다. 하지만 나와 가족에게는 그곳이 천국이었습니다. 우리는 그 마을을 사랑했습니다. 내가 16살이 되었을 때에도 그 작은 마을에는 여전히 350여 명 정도밖에 살지 않았습니다.

왜 이런 말을 하는 것일까요? 왜냐하면 내가 자란 곳과 내가 원하기 시작했던 것을 생각해보면, 누군가는 내가 완전히 미쳤다고 생각할 수도 있기 때문입니다.

그 작은 마을의 10대 소녀의 소망이 무엇이었을까요? 파리에 살게 된 당시 프랑스 최고의 영화배우를 만나는 것이었습니다. 물론 미친 생각 아니겠습니까?

글쎄, 목표를 획득하거나 이루려는 욕구가 충분히 강하다면, 미친 생각 같은 것은 없습니다. 충분히 강하게 원한다면 성취할 수 있고 또 성취될 것입니다.

나는 5년 동안 온몸으로 그 욕망을 키웠습니다. 매일 생각하고, 상상하고, 꿈꾸고, 들이켰습니다. 무엇을 하든 이 욕망은 항상 내 안에 있었습니다. 나는 나도 모르게 끌어당김의 법칙을 제대로 적용하고 있었습니다. 나는 내가 원하는 것을 소망하거나 바라는 것이 아니라 그것에 사로잡혀 있었습니다. 그것은 나폴레옹 힐이 말하는 "불타는 욕망"이었습니다.

내 경우 그 불타는 욕망이 나를 어딘가로 이끌었을까요? 그랬습니다. 꿈이 이루어지기까지는 5년이 걸렸지만, 결국 꿈은 이루어졌습니다. 작은 마을에서 자란 스무 살의 젊은 여자가 파리 샹젤리제의 유명한 극장 무대 뒤편에서 자신이 열광했던 프랑스 최고의 남자 배우를 만난 것이었습니다.

사실, 그것이 끝이 아닙니다. 나는 그를 파리에서 네 번 더 만났고 몇 년 후 뉴욕에서 한 번 더 보았습니다.

그렇다면 삶에서 진정으로 갖고 싶은 것을 이루기 위해서는 강한 욕망을 갖는 것이 필요한 것일까요? 확실히 그렇다고 말할 수 있습니다. 적어도 나는 그랬습니다. 아마 당신이 알 수도 있고 모를 수도 있는 모든 성공한 사람들에게도 그랬으며 또한 당신에게도 그럴 것입니다. 성공은 우연히 일어나는 것이 아니라 설계로 이루어집니다. 그 이유는 끌어당김의 법칙이 우주의 법칙 중 하나이고 중력의 법칙처럼 누구에게나 항상 똑같은 방식으로 작용하기 때문입니다.

그래서 **끌어당김의 법칙**이 무엇에 관한 것인지 알고 인생에서 성취하고자 하는 것에 대한 강한 욕망을 개발하세요. 위의 예는 내 인생에서 이 멋진 도구를 처음으로 사용한 것이었지만, 지금도 내 앞에 세운 모든 목표에 사용하고 있습니다. 당신은 어떤가요? 강한 욕망을 가지고 있습니까? 그렇다면, 원하는 것이 실현될 때까지 온몸으로 원하는 것을 시각화하고 느끼세요.

그러나 그러기 위해서는 반드시 이루어질 것이라는 믿음이 있어야 합니다. 그렇다면 원하는 것에 대한 믿음을 어떻게 키울 수 있을지 살펴봅시다.

믿음 - 성공의 두 번째 단계

욕망이 성공의 첫 번째 단계인 이유는 무엇이든지 성취

하기 전에 그것을 향한 욕망이 있어야 하기 때문입니다.
아무도 원하지도 않는 것을 얻을 수는 없습니다.

그러나 일단 성공의 첫걸음을 이해하고 적용하고 원하는
것에 대한 강한 욕망을 키우고 나면, 원하는 것이 무엇이든
간에 당신에게 올 것이라는 믿음을 가질 필요가 있습니다.

믿음이란 무엇인가?

믿음은 마치 원하는 것을 이미 소유하고 있는 것처럼
그것을 가지거나 성취할 것이라는 확신입니다. 나폴레옹
힐이 엄청난 신체적 장애로 보이는 것을 극복할 수 있도록
아들의 마음에 긍정적인 생각을 입력하기 시작했을 때, 그

는 "선의의 거짓말"이라고 부르는 긍정적인 생각이 아들의 마음에 열매를 맺을 것이라고 믿었습니다. 확실하게 믿었습니다.

부, 건강, 성공 또는 인생에서 성취하려고 노력할 수 있는 것이 무엇이든 목표를 달성할 것이라는 믿음을 가질 필요가 있습니다.

흥미롭게도 나폴레옹 힐은 그의 책에서 다음과 같이 말합니다. "일부 종교 교사와 자신을 기독교인이라고 부르는 많은 사람들은 믿음을 이해하지도 실천하지도 않는다." 이 진술을 읽었을 때 정말로 크게 와 닿았습니다. 몇 년 전, 내가 기독교 교회를 다니고 있고 잠시 실직 상태였을 때, 동료 기독교인 여성이 내게 이렇게 말했습니다. *"당신은 절대 일자리를 구하지 못할 거예요!"* 만약 당신이 그 여성에게 믿음이 있냐고 물었다면 그녀는 그렇다고 대답했을 것입니다. 하지만 힐이 그의 책에서 언급했듯이, 그녀의 말은 그녀가 믿음을 이해하지도 실천하지도 않았다는 것을 보여주었습니다. 이것은 단지 하나의 개인적인 예일 뿐입니다. 더 많이 보여줄 수도 있습니다. 틀림없이 당신도 믿음이 부족한 경우를 많이 보았을 것입니다.

자신에게 믿음이 있다고 믿지만, 진정으로 원하는 것을 이루기 위해 자기 자신도, 강력한 우주의 힘이나 신(또는 뭐라고 부르든)도 믿지 않는 사람은 실제로는 전혀 믿음이 없습니다. 그들 자신의 말과 행동이 이 사실을 증언합니다.

믿음이 있는지 어떻게 알 수 있을까?

자신이 위에서 말한 여성처럼 말한다는 사실을 알게 된다면, 끌어당김의 법칙의 증명된 방법을 사용하여 계획을 실행에 옮길 때 좋은 결과가 올 수 있다고 진정으로 믿지 않는다면, 일반적으로 긍정적이기보다 부정적인 자신을 발견한다면, 이것은 당신이 믿음이 부족하다는 강력한 단서가 될 수 있습니다. 하지만 그렇다고 해서 낙심하지 마세요. 의지만 있다면 믿음을 얻을 수 있으니까.

어떻게 믿음을 키울 수 있을까?

믿음을 발전시키는 첫 번째 단계는 부정적인 결과를 끌어내는 데 썼던 에너지를 그대로 긍정적인 결과로 바꾸는 것입니다. 그 여성이 내게 "당신은 절대 일자리를 구하지 못할 거예요."라고 말했을 때, 우리는 실제로 "나는 일자리를 찾지 못할 것"이라는 믿음을 그녀가 가지고 있다고 말할 수 있습니다. 그녀는 자신의 믿음(에너지)을 부정적인 것에 쏟기로 선택했지만 그 부정적인 에너지를 긍정적인 에너지로 대체하기로 선택했다면 어땠을까요? 이것은 그녀의 믿음을 올바른 곳으로 옮기는 훌륭한 훈련이 되었을 것입니다.

안타까운 결과에 더 많은 믿을 가지고 있다면, 위대한 결과에 대한 믿음을 더 키우도록 노력하세요. 당신에게 있는 모든 "부정적인" 믿음을 생각하고 그것을 "긍정적인" 믿음으로 바꾸도록 하세요. 30일 동안 이 연습을 습관화하면 결과에 놀라게 될 것입니다. 그리고 인생이 달라질 것입니다.

이를 실천하는 방법이 자기암시(auto-suggestion)입니다. 자기암시란 무엇이며 그것이 당신의 삶에 성공을 가져오는 데 어떻게 도움이 되는지 알아봅시다.

자기암시 - 성공의 세 번째 단계

.

성공의 세 번째 단계는 "자기 대화(self talk)"라고도

하는 암시입니다. 알고 있든 모르고 있든, 당신은 생각 속에
서 끊임없이 자기 자신에게 무언가를 암시하고 있습니다.
문제는, 하루 내내 자신의 많은 생각을 의식해보면 이러한
자기암시의 대부분이 부정적인 것임을 알게 된다는 것입니
다.

나이가 다섯 살 정도 되면, 우리는 YES라는 말보다 NO라
는 말을 두 배 이상 듣습니다. 어렸을 때 우리는 해도 좋다는
말보다 하면 안 된다는 말을 더 자주 들었습니다. 이것만으
로도 마음은 할 수 있는 일보다 할 수 없는 것이 더 많다고
자동으로 암시하는 습관이 들게 됩니다. 그리고 이것은 잠
재의식 속에 자리를 잡는 깊은 믿음이 됩니다. 이것이 우리

가 할 수 없는 것보다 할 수 있는 것이 더 많다는 믿음으로 대체해야 하는 중요한 이유입니다. 우리는 자기암시를 이용하여 잠재의식을 바꿀 수 있습니다.

첫 번째 스텝 - 알아차리기

무엇이든 바꾸기 위해서는 바꾸고 싶은 게 무엇인지 인식하는 것이 첫 번째입니다. 예를 들어, 특정한 버릇이나 틱 습관 같은 것을 없애고 싶다면, 먼저 그 습관이나 버릇을 완전히 알아차려야 합니다. 일단 그것을 완전히 알게 되면, 하루 동안 이 문제가 얼마나 자주 나타나는지 더 잘 분석하고 더 잘 통제할 수 있을 것입니다. 그리고 결국에는 습관이나 버릇이 멈춰지기도 합니다.

자기 생각을 자각하기 시작하고 부정적인 생각이 떠오를 때 집중하려고 노력하면, 자신을 붙잡고 부정적인 생각이 떠오르는 것을 멈출 수 있게 됩니다. 이것을 "생각 관찰"이라고 합니다. 부정적인 자기암시에 사로잡힐 때, 할 일은 그것을 긍정적인 것으로 바꾸는 것뿐입니다.

물론 행동보다야 말이 쉽습니다. 하지만 연습할수록 쉬워집니다.

두 번째 스텝 - 부정적인 생각을 긍정적인 것으로 바꾸기

머릿속에 부정적인 생각을 집어넣는 데는 시간이 걸리므로, 마찬가지로 완전히 없애는 데에도 시간이 걸린다는 점을 알아야 합니다. 그러나 분명히 가능하다는 것을 잊지 말아야 합니다. 많은 사람이 생각을 다스리고 시간이 지나면서 어떤 부정적인 자기암시적 생각도 긍정적인 것으로 대체하는 법을 배웠습니다.

예를 들어 당신이 "나는 이것을 살 여유가 없다."고 스스로 말하고 있음(자기암시적 사고)을 알게 된다면, 이 부정적인 자기암시를 긍정적인 것으로 바꾸는 것이 필수적입니다. "나는 이것을 살 여유가 없다."는 말은 "나는 돈을 끌어당기는 자석이다." 또는 "나는 매일 점점 더 많은 돈을 벌고 있다.", 심지어 "오늘은 사지 않고 내일 살 것이다."와 같은 것으로 대체될 수 있습니다. 어떤 긍정적인 표현을 택하느

냐가 중요한 것이 아닙니다. 가장 중요한 것은 부정적인 자기암시를 즉시 긍정적인 것으로 바꾸는 것입니다. 뇌를 관통하는 부정적인 암시를 듣자마자 즉시 그것을 제거하세요.

중요한 질문은 이것입니다. 당신은 자기암시적 생각으로 무엇을 우주에 보내고 있나요?

이 질문에 대한 답은, 당신이 스스로에게 말하고 있는 것(자기암시)이며 그것은 벽에 튀는 공처럼 당신에게 돌아올 것이라는 것입니다. 그러므로 깨어나세요. 그리고 당신 자신의 생각에 유의하세요. 자신이 무슨 생각을 하는지 지켜보세요.

전문지식 - 성공의 네 번째 단계

"생각하라 그리고 부자가 되어라(Think and Grow Rich)"에서 나폴레옹 힐은 "학교 교육"을 받는 것만으로는 부자가 되지 못하는 이유를 설명합니다. 대학교를 나오고 심지어 학위를 가지고도 부유해지지 못한 사람들은 헤아릴 수 없이 많으며, 그들 중 상당수는 앞으로도 절대 부자가 되지 못할 것입니다. 그 이유는 지식만으로는 누구도 부유해질 수 없기 때문입니다.

어떤 사람을 부유하게 만드는 것은 그냥 지식이 아니라 전문지식입니다.

전문지식이란 무엇인가?

전문지식에 대해 이야기할 때, 반드시 학교에서 배웠어야 하는 것에 대해 이야기하는 것은 아닙니다. 오늘날의 몇 가지 예를 들자면, 내가 아는 매우 부유한 인터넷 마케터는 어떤 학교에서도 그들을 부유하게 만들어준 "전문지식"을 배우지 못했습니다. 그들은 전문지식이 일부인 성공의 단계를 제시했기 때문에 그것을 배웠습니다. 비록 그것이 성공하고 부유해지기 위해 필요한 유일한 퍼즐 조각은 아니지만,

학력이나 학위에 상관없이, 우리 모두는 어떤 종류의 전문지식을 가지고 있습니다.

때때로 퍼즐에서 유일하게 빠진 조각은 우리의 전문지식이 무엇인지에 대한 "아이디어"를 얻는 것입니다. 나는 개인적으로 전문지식을 가진 몇 개 분야가 있지만, 훨씬 뒤에야 그것을 알게 되었습니다. 나는 내가 어떤 전문지식을 가지고 있는지 알기 위해 자기계발서를 읽고 라이프 코치와 함께 공부하면서 마음을 개발하기 시작했습니다.

때때로 그러한 특성은 마음을 열고 **잠재의식**을 인식하고 새로운 믿음과 아이디어를 마음에 공급하기로 결정할 때까

지 우리 안의 깊은 곳에서 잠자고 있습니다. 마음 특히 잠재의식을 더 많이 이해할수록 당신의 뇌는 수백만 달러의 가치가 있는 전문지식을 개발하기 위해 테이프를 끊을 수 있는 멋진 아이디어를 더 많이 전달할 것입니다.

당신은 어떤 전문지식을 가지고 있는가?

요리, 기계, 글쓰기, 웹사이트 구축, 컴퓨터, 주택 디자인, 공간, 스포츠, 고양이, 개, 패션에 대한 전문 지식이 있습니까? 목록은 지식 그 자체만큼이나 끝이 없습니다. 나는 당신이 이런 기술 중 어느 것도 학교에서 필수적으로 배워지는 것이 아니며, 이런 유형의 지식을 가진 사람은 그것을 학교에서 습득하지 않았을 가능성이 크다는 것을 깨달았을 거라고 확신합니다. 예를 들어 나는 글쓰기, 요리, 잠재의식에 대한 전문지식을 가지고 있지만, 학교에서 이러한 기술을 배운 적이 없습니다. 절대로!

중학교에 진학하지 못한 토마스 에디슨(Thomas Edison)이나 헨리 포드(Henry Ford)가 전통적 교육에 대한 지식이 없었지만, 전문지식은 있었다는 것을 우리는 알고 있습니다, 그렇지 않나요? 그리고 그들은 우리가 아는 성공한 사람이 되기 위해 그러한 지식을 적용했습니다.

하지만 그들이 가진 것은 엄청난 상상력이었습니다. 상상력이 어떻게 당신을 성공에 더 가까이 다가가게 할 수 있는지 그리고 그것을 어떻게 발전시킬 수 있는지 알아봅시다.

상상력 – 성공의 다섯 번째 단계

에디슨이나 포드가 아니더라도, 우리 모두 일종의 전문

지식을 가지고 있으며, 더 나아가서 우리 모두는 마음 속으로 깊이 들어가 잠자고 있는 아이디어를 찾아 수면 위로 떠올릴 수 있습니다. 그러한 아이디어는 당신의 욕망이 충분히 강하다면 성공과 부를 가져올 수 있고 또 그럴 수 있는 전문지식으로 바뀔 것입니다.

나폴레옹 힐은 "상상력은 세상이 알고 있는 가장 놀랍고, 기적 같으며, 믿기 어려울 정도로 강력한 힘"이라고 말했습니다.

당신이 지금 이 책을 읽을 때 사용하고 있는 매체는 상상을 통해 만들어진 것입니다. 주변에서 보이는 모든 것, 자동

차, 계획, 집, 여론조사, 교각, 텔레비전 등은 모두 상상력으로 만들어졌습니다.

인류에게 이 놀라운 정신적 능력이 없었다면 우리는 여전히 중세 시대에 살았던 것과 같은 삶을 살고 있었을 것입니다. 당신의 놀라운 뇌가 상상할 수 있어서 기쁘지 않은가요? 네, 참으로 상상력은 우리가 알고 있는 바와 같이 우리 삶의 중요한 도구입니다. 당신은 상상력을 이용해서 원하는 삶을 만들 수 있다는 것을 알고 있습니까? 나는 상상력이 별로 없다고 생각할지도 모르지만, 과연 그럴까요?

어렸을 때의 자기를 떠올려보세요. 당신이 다른 장소나 다른 사람이라고 상상하지 않았던가요? 의사나 소방관, 엄마, 공주인 척하지 않았나요?

아이들은 상상력을 멋진 방법으로 사용할 수 있습니다. 당신도 머릿속에서 많은 이미지(상상)가 살아 움직이지 않았던가요? 상상의 친구가 있었나요? 상상력이 많았던 어린 시절의 자신을 기억할 수 있다면, 어른으로서도 상상할 수 있는 능력을 가지고 있을 가능성이 큽니다.

물론 상상은 뇌에서 발생하며, 뇌의 어떤 기능과도 마찬가지로 더 많이 사용할수록 더 잘 작동합니다. 팔에 깁스를 하고 내버려두면, 결국에는 그 팔이 무용지물이 될 것입니다. 반면에 규칙적으로 역기를 들면, 그 팔은 매우 튼튼하고 커질 것입니다. 뇌도 마찬가지입니다. 쓸수록 더 효율적으로 작동할 것입니다. 그러니 머리를 최대한 활용하세요. 미치광이처럼 상상해보세요. 상상과 꿈에는 한계가 없습니다. 오직 당신 스스로 만들어내는 것만이 있을 수 있습니다.

상상력을 어떻게 개발할 수 있을까?

인생을 어떻게 살고 싶은지 마음속으로 그림을 그려보세요. 원하는 모든 돈을 가지고 있고 무엇이든지 원하는 대로 할 수 있다고 상상해 보십시오. 뇌에는 한계가 없습니다. 상상력이라고 불리는 이 엄청난 정신 능력 하나만으로도 원하는 모든 것을 상상할 수 있습니다.

당신이 지금과 완전히 다른 사람이라고 상상해 보세요. 예를 들어, 지금 부유하지 않다고 해도 자신이 아주 부자라고 상상해 보세요. 부엌 바닥에서 돈을 밟고 욕실에서 돈으로 목욕하고 있다고 상상해 보세요. 그리고 어떤 섬이나 가장 멋진 무언가 속에서 평생 휴가를 보내고 있다고 상상해 보세요. 인생에서 원하는 모든 행복과 즐거움을 가져다 줄 특별한 상황에 있는 자신을 상상하는 것입니다. 이상적인 남자 또는 여자를 찾고 있다면, 당신이 완벽한 관계에 있다고 상상해 보세요. 기억하세요, 더 많이 상상할수록 당신의 뇌는 더 쉽게 만들어낼 수 있습니다.

상상력을 키울 수 있는 또 다른 좋은 방법은 명상 녹음을 사용하는 것입니다. 나는 항상 명상 CD를 이용합니다. 이 기록된 명상 세션은 자신이 다른 장소에 있거나 심지어 다른 존재가 되었다고 "상상하는" 것을 도울 수 있습니다. 당신의 상상력을 키우는 데 큰 도움이 될 것입니다.

상상력은 성공하고 부유해지기 위한 핵심 단계입니다. 성공하고 부유한 대부분의 사람들은 자신이 원하는 삶을 창조하기 위해 상상력을 최대한 발휘했기 때문에 오늘날의 위치에 있게 되었습니다. 상상력을 발휘하여 원하는 삶을 창조하세요. 한계는 당신 자신의 마음에만 있습니다.

체계적인 계획 - 성공의 여섯 번째 단계

"생각하라 그리고 부자가 되어라"에서 나폴레옹 힐

은 체계적인 계획에 대해 챕터 하나를 전부 할애했습니다. 왜냐하면 체계적인 계획은 성공에 필수적이고 가장 중요한 단계이기 때문입니다. 모든 성공적인 벤처와 성공한 사람들 뒤에는 체계화된 계획이 있습니다. 그러나 특정 영역 또는 인생 전반에서 실패하는 사람들은 목표 뒤에 어떤 조직적인 계획도 가지고 있지 않다는 것을 알게 될 것입니다.

인터넷 마케터뿐만 아니라 라이프 코치로서 나는 인터넷 마케팅 분야에서 많은 사람을 상대합니다. 새로운 사람이든 한동안 어울렸던 사람이든, 나는 실패하는 사람이 다음과 같은 사람임을 알게 되었습니다. a) 체계적인 계획이 없거나 b) 계획이 주어져도 따를 수 없는 사람. 그렇다면, 이를

염두에 두면서 체계적인 계획이 실제로 의미하는 바는 무엇이며 어떻게 하면 그런 계획을 세울 수 있을까요?

체계적인 계획이란 실제로 무엇을 의미하나?

체계적인 계획은 아이디어에서 시작됩니다. 아이디어를 찾거나 생각해 내려면 앞에서 언급한 것처럼 뇌가 이 기능을 개발할 필요가 있습니다. 하지만 뇌를 개발하는 데 쓸 수 있는 몇 가지 방법이 있습니다. 당신에게도 더 많은 아이디어가 있을 것입니다. 이에 대해서는 나중에 더 자세히 말해보겠습니다.

체계화된 계획은 종이에 적어 단계별로 따라야 합니다. 각 단계에 날짜 표시줄을 덧붙이는 것도 매우 좋은 생각이며, 그러면 성취가 점점 더 빨라집니다. 날짜 표시줄이 있으면, 날짜를 맞추기 위해 당신 내부와 외부의 모든 힘이 작용합니다.

체계적인 계획의 최대 적, 미루기

어쩌면 당신은 이미 많은 아이디어를 가지고 있지만 실행에 옮기지 못하고 있을지도 모릅니다. 이것을 우리는 미루기라고 부릅니다. 아무리 계획을 잘 세우더라도 미루는 습관은 계획을 실행하는 데 방해가 되기 때문에 미루기는 체계적인 계획의 가장 큰 적입니다. 나는 사람들에게 매일 이런 일이 일어나는 것을 볼 수 있습니다.

아이디어가 많아도 그것에 대해 아무것도 하지 않는다면, 아이디어가 떠오를 때 가장 먼저 할 일은 그 아이디어를 적어 놓는 것입니다. 그 순간에 무엇을 하고 있든 최선을 다해 하던 일을 멈추고 아이디어를 기록하세요. 나는 아이디어 하나를 기록하기 위해 갓길에 차를 세운 적도 있습니다. 그리고 그만한 가치가 있었습니다.

종이에 아이디어를 적었다면 그것을 바탕으로 아이디어를 개발하기 시작하세요. 그런 생각을 발전시키기 위해서 무엇이 필요할지 자문해보세요. 당신이 지금 어디에 있는지 살펴보고 그 아이디어를 실행에 옮기기 위해 오늘 무엇을 할 수 있는지 생각해보세요. 아이디어를 실행할 적절한 시간을 기다린다면 올바른 시간은 결코 오지 않을 것입니다.

"올바른 시간" 같은 것은 없습니다. 지금이 바로 그때입니다. 아이디어를 얻을 때가 올바른 때입니다.

지금 행동하지 않으면 미루게 됩니다. 그리고 그것은 시작하기도 전에 당신의 계획을 중단시킬 것입니다.

글로 적은 것은 두 가지 일을 하는 경향이 있습니다. a) 항상 보고, 편집하고, 확장할 수 있으며 b) 목표를 기록하면 그것이 더 빨리 "일어나도록" 만드는 경향이 있습니다.

아이디어를 개발하는 데 도움이 되는 도구는 무엇일까?

사용할 수 있는 도구 중 하나는 뇌세포 간에 "좀 더 많은 연결"을 생성하도록 설계된 양자물리학적 잠재의식 컨트롤 오디오입니다. 나는 1년 반 동안 매일 잠재의식 오디오를 들었으며, 그 결과는 점진적이면서도 믿을 수 없을 정도로 훌륭했습니다.

뇌세포와 잠재의식을 개발하기 위해 사용하는 또 다른

도구는 자기계발서입니다. 이러한 도구들은 무료 또는 저렴한 가격으로 온라인에서 매우 쉽게 찾을 수 있으며 찾는 품을 들일 만한 가치가 있습니다.

점점 더 마음을 조율해갈수록 계획을 체계화하기가 점점 더 쉬워지고 그에 따라 성공도 더 쉬워진다는 것을 알게 될 것입니다.

결단 - 성공의 일곱 번째 단계

인생에서 성공하기 위해서는 결단, 결단이 얼마나 중요

한지! 내 목록에서 결단은 아마 가장 중요한 성공 요소가

될 겁니다. 왜요? 글쎄요, 만약 어떤 것에 결정을 내리지

않으면 아무런 방법이 없고, 따라서 성공은 불가능할 것입

니다. 그렇지 않나요?

당신의 삶에 변화를 가져다줄 모든 것은 중요한 결정을

요구할 것입니다. 하지만 무엇이 의사 결정에 있어 걸림돌

이 될까요? 몇 가지가 있지만, 의사 결정에 큰 장애물이

되는 세 가지 주요한 것을 살펴보겠습니다.

두려움 - 의사 결정의 첫 번째 적

경험으로 이것에 대해 알 수 있을까요? 내 자신이 그런 두려움의 희생자였던 날과 이 때문에 인생에서 성공하지 못한, 내게 매우 소중하고 가까운 사람들을 떠올릴 수 있습니다. 내가 말하는 사람들은 굉장한 재능을 타고났으면서도 그 재능으로 아무것도 하지 않았습니다. 왜냐하면 자신의 재능을 수입으로 전환하겠다는 결정을 결코 내리지 않았기 때문입니다.

그들은 왜 그렇게 되도록 내버려 둔 것일까요? 일반적으로 그들은 다른 사람이 제한적 신념에 따라 그들의 결정이 무엇을 의미하는지, 그리고 어떤 제한적 신념이 그들에게 두려움을 심는지 말하게 합니다. 또한 그들은 두려움이 앞으로 가로막도록 내버려두고 앞으로 나아가겠다는 결정을 결코 내리지 않습니다. 그런 두려움 중 일부는 다소 우스꽝스러운 것으로 이를테면 다음과 같은 것이었습니다. "내 사업을 시작하기 위해 특허나 면허를 취득하는 것이 번거롭다", "전문가들은 내 그림이 너무 '완벽하다'고 말하고 사람들은 더 이상 이것을 좋아하지 않는다".

두려움은 다른 무엇보다 더 우스꽝스러운 변명의 경이로

운 목록이 될 수 있으며, 불행히도 견제하지 않으면 두려움이 항상 승리하게 되어 있습니다.

특정 지식의 부족 - 의사 결정의 두 번째 적

위의 두 사람이 두려움 때문에 삶을 변화시키는 결정을 내리지 못한 주된 이유는 아마도 특정 지식이 부족했기 때문일 것입니다. 이것은 무슨 뜻일까요? 그들이 특허나 면허를 얻는 절차나 소비자가 무엇을 좋아하는지 정확히 알았다면, 무지에 근거한 두려움의 상당 부분이 처음부터 제거되었을 것입니다.

자신이 어디로 가고 있는지 아는 것과 모르는 것은 의사 결정에 큰 차이를 만들어냅니다. 자신의 것을 알아야 합니다. 그렇지 않다고 해도 겁먹거나 당신보다 더 많이 알지 못하는 사람의 말을 듣지 마세요. 필요한 지식을 얻으세요. 그것이 의사 결정을 통해 당신을 더 강하게 만들어줄 것입니다.

성공에 대한 욕망의 부족 - 의사 결정의 세 번째 적

성공에 대한 열망, 특히 원하는 것에 대한 열망이 충분히 강하지 않으면 성공하기 어렵습니다. 앞에서 언급했듯이, 강한 욕망을 성공하기 위해 필수적입니다. 이유는 욕망이 충분히 강할 때 이를테면 부정성이나 비판, 지원 부족 등 직면할 수 있는 모든 어려움이나 문제를 헤쳐나가는 데 도움이 되기 때문입니다. 강한 욕망은 성공 당신과 성공하겠다는 당신의 결정 사이에 있는 모든 장애물을 물리칠 것입니다.

위에서 언급한 두 사람을 생각하면 성공에 대한 열망이 부족하다는 것이 명백합니다. 이 경우 두려움은 훨씬 더 강해지고 애초에 있었던 작은 욕망마저 죽입니다.

의사 결정은 성공의 중요한 단계입니다. 필요한 모든 조치를 취하겠다고 결정하면 목표를 달성할 수 있습니다. 일단 결정을 내리면 다음 단계를 적용해야 합니다.

끈기 - 성공의 여덟 번째 단계

끈기 없이 성공의 문은 열리지 않습니다. 하룻밤 사이 이루어지는 성공은 매우 드물며, 따라서 성공에 이른 사람은 십중팔구 누구든지 그것을 얻기 위해 끈기를 보여야 했을 것입니다.

만약 토마스 에디슨이 끈기를 보이지 않았더라면 그의 발명품 대부분은 세상에 나오지 못했을 것입니다. 일과 삶에서 성공하고 싶다면 끈기가 있어야 합니다. 그런 자질이 부족하다면, 어떻게 개발해야 하는지 배워야 합니다.

이 장에서는 성공한 기업가, 사업주, 인터넷 마케터, 작가 또는 당신이 이루고자 하는 무엇이든지 되기 위해 어떻게 끈기를 키우고 그것을 가장 유리하게 활용할 수 있는지 보여줄 것입니다.

끈기란 무엇인가?

어떤 사전에서는 끈기를 "무엇을 하거나 성취하기로 결정되는 품질, 목적의 확고함"으로 정의합니다.

결단은 끈기의 중요한 요소입니다. 결단이 원인이고 끈기는 목표를 이루고자 하는 강한 의지와 욕망의 효과입니다.

끈기가 없다면 계속 나아가고 길에서 마주칠 수 있는 모든 걸림돌을 넘어서는 것은 누구에게나 쉽지 않을 것입니다.

이루고자 하는 것이 무엇이든 간에 경력을 쌓고, 사업을 시작하고, 온라인으로 돈을 벌기 등..... 예측대로 일이 되지 않을 때가 있을 것입니다. 결과가 없어 실망하고 우울해지는 때입니다. 그때가 당신의 끈기 수준을 시험할 때입니다. 얼마나 끈기가 있느냐 없느냐에 따라 궁극적으로 당신의 성공 수준과 그것을 달성할 수 있는 신속성이 결정됩니다.

끈기를 어떻게 키울 수 있을까?

말할 필요도 없이, 다른 사람보다 더 많은 끈기를 가진 사람도 있지만, 약간의 의지와 노력을 기울이면 누구라도 끈기를 향상할 수 있습니다.

자신이 천성적으로 끈기 있지 않다는 것을 알고 있다면 다음과 같은 질문을 스스로에게 해보세요.

- 나는 내 인생에서 성공하기를 얼마나 바라는가?
- 나에게 재정적 자유는 얼마나 중요한가?
- 내가 정의하는 성공은 무엇인가?
- 내가 가지고 있는 진짜 나의 이미지는 무엇인가?
- 내가 가진 "왜?"는 무엇인가?
- 나의 목표는 무엇인가?

자신의 욕구 수준을 정의하면 당신이 얼마나 끈기를 가질 것인지 아는 데 도움이 될 것입니다. 끈기에 필요한 연료를 제공하는 첫 번째 요소는 욕망입니다. 그렇다면, 당신은 자신이 원하는 것을 얼마나 원하나요?

당신은 "음, 그게 되면 좋겠지"라고 말합니까, 아니면 "무슨 일이 있어도 그것을 해낼 거야. 내가 가진 모든 걸 바쳐서라도."라고 말합니까. 이 질문에 대한 답이 당신의 욕구 수준에 대한 단서를 제공해야 합니다. 잊지 마세요. 욕망이 강할수록 끈기가 강해진다는 것을.

당신에게 재정적 자유는 얼마나 중요한가요? 어떤 사람들에게는 전혀 중요하지 않습니다. 사실, 돈에 대해 온갖 부정적인 생각을 하면서 경제적으로 자유로워질 바람을 갖지 않는 사람도 있습니다. 그런 믿음은 대부분 무의식적인 것입니다. 당신은 어떤가요? 이런 맥락에서 당신은 어디에 서 있습니까?

당신에게 성공이란 무엇입니까? 어떤 사람들에게는, 성공이란 좋은 직업과 가정을 갖는 것이며 그런 생각이 잘못된 것은 아니지만, 높은 성취와 관련해서는 그런 사람들의 끈기 수준이 가장 높지 않을 수도 있다고 볼 수 있을 것입니다. 성공에 대한 당신의 생각은 무엇인가요?

자신에 대해 가지고 있는 이미지는 무엇입니까? 성공한 사람은 실패한 이와 다르게 생각한다는 사실을 알고 있습니까? 자기를 살펴보고 걸을 때, 말할 때 당신 자신을 어떻게 잡고 있는지 알아차려 보세요. 당신은 진정으로 자신에 대해 어떻게 생각하나요? 행동해 보세요. 그러면 매우 흥미로운 사실을 알게 될 것입니다!

당신의 "왜"는 무엇입니까? 무엇이 당신을 움직이게 하나요? 성공하고 싶은 이유는 무엇입니까? 누가 틀렸다고 증명하고 싶은가요? 이런 질문에 답하는 것은 당신의 끈기 수준을 결정하는 데 도움이 될 것입니다.

구체적인 목표가 있습니까? 그것을 기록했나요? 매일, 하루에 두 번씩 목표를 큰 소리로 읽고 있습니까? 이런 실천이 시간이 갈수록 당신의 끈기를 향상시킬 것입니다.

큰 꿈을 꾸고 그것을 붙잡아야 합니다. 그런 다음 꿈을 이루기 위해 필요한 모든 행동을 취하세요. 끈기가 당신의 꿈을 이루어줄 것입니다.

끈기를 가지도록 도울 수 있는 필수적인 도구가 또 하나
더 있습니다. 그것이 무엇인지 알아보겠습니다.

마스터마인드 그룹 - 성공의 아홉 번째 단계

다시, 그의 유명한 저서 "생각하라 그리고 부자가 되어

라"에서 나폴레옹 힐은 "돈을 모으려면 힘이 필요하다! 돈

을 축적한 후에는 그것을 유지하기 위해서 힘이 필요하다."

라고 말합니다. 성공의 이면에는 힘이 있으며 그러한 힘을

창출하는 놀라운 방법은 마스터마인드 그룹(mastermind

group)에 있습니다.

마스터마인드 그룹은 무엇을 하는가?

마스터마인드 그룹은 서로 조화를 이루는 높은 수준의

마음이 모임이기 때문에 힘을 활용할 수 있습니다. 두 사람

이상이 모이면 가시적인 힘이 생깁니다. 나폴레옹 힐이 "생

각하라 그리고 부자가 되어라"에서 설명한 것처럼 분자,

원자, 전자로 분해될 수 있는 '물질'의 단위가 있는 것처럼 에너지의 단위도 있습니다. 결국 우주는 물질과 에너지로 이루어져 있습니다.

마스터마인드 그룹은 에너지 단위를 배가시키며 비록 눈에 보이지는 않지만, 확실히 모든 구성원이 느낄 수 있습니다. 마스터마인드 그룹은 엄청난 아이디어와 아하! 하는 순간을 경험하면서 그 에너지를 최대한 활용할 것입니다.

에너지는 자연이 물질을 만들기 위해 사용하는 것입니다. 여기에는 우리, 인간, 동물, 식물 및 보고 만질 수 있는 모든 형태나 형상이 포함됩니다. 우리 뇌는 에테르에서 에너지를 흡수할 수 있는 공간입니다. 흔히 '생각'으로 알려진 에너지는 사물이나 사건으로 변형됩니다.

모든 것은 마음 안에서 창조된다

당신이 보거나 만질 수 있는 모든 것은 두 번 만들어졌습니다. 누군가의 마음속에서 생각 '에너지'라는 형태로 처음 만들어졌고, 그 생각이 형태를 갖추어 '물질'이 되었습니다.

마스터마인드 그룹에서 일어나고 있는 것이 이 과정입니다.

두 명 이상의 마음이 모여 마스터마인드를 만들 때, 그 에너지의 '힘' 이상이 마음 사이에 공유되어 창조 수준이 가속화되고 강력해집니다.

앤드류 카네기(Andrew Carnegie)는 그의 성공의 상당 부분은 약 50명의 사람들이 포함된 마스터마인드 그룹 덕이라고 주장했습니다. 그의 마스터마인드 그룹은 카네기 사업의 기둥이었고, 그의 재산과 성공에 크게 기여했습니다.

마스터마인드 그룹에 가입하여 삶의 방향을 찾다

나는 2005년 9월에 첫 번째 마스터마인드 그룹에 가입했습니다. 당시 나는 자기계발 분야에 막 발을 들여놓은 초보자였고, 마스터마인드 그룹은 내가 인생의 첫 번째 성공 목표를 세우고, 한 번도 제대로 적응해보지 못한 영역에서 앞으로 나아갈 수 있도록 도움을 주었다고 말할 수 있습니다.

2006년 4월, 나는 이 책의 배경이 된 나폴레옹 힐의 "생각하라 그리고 부자가 되어라"를 내게 인도해준 또 다른 마스터마인드 그룹에 합류했습니다.

말할 필요도 없이, 그 마스터마인드 그룹이 내 삶을 영원히 변화시켰습니다. 내게 다른 인생이 시작되었습니다. 내 마음속에서 일어나는 일이 내 인생에서 경험한 모든 것을 통제하고 있다는 것을 마침내 깨달은 삶. 무엇보다도 마스터마인드 그룹은 내게 그것을 어떻게 바꿀 수 있는지 보여줬습니다.

시간이 흐르면서 이 마스터마인드 그룹은 그때까지 내 자신에 대해 명확하지 않았던 많은 것을 가르쳐주었고, 얼마 지나지 않아 나는 사람들이 나처럼 성장하고 삶의 모든 면을 개선하도록 도울 수 있는 코치가 되고 싶다는 것을 깨달았습니다.

마스터마인드 그룹에 속하는 것은 체육관의 회원 자격과 같아야 하며, 영원토록 나아가야 합니다. 어떤 수준의 개인적 발전을 하든, 우리는 결코 마스터마인드 그룹으로부터 배우는 것을 멈추지 않으며 멈출 이유도 없습니다.

성에너지의 전환 - 성공의 열 번째 단계

이제 나폴레옹 힐의 저서 "생각하라 그리고 부자가
되어라"를 바탕으로 성공을 향한 열 번째 발걸음을 내딛었
습니다. 성에너지의 전환 - 도대체 그것이 무엇일까요? 확
실히 성공하기 위한 가장 어려운 단계라고 말할 수 있습니
다. 그리고 나폴레옹 힐 자신도 그것을 완전하고 명확하게
설명하기 힘들어한 것처럼 보였습니다.

몇몇 현대의 끌어당김의 법칙 멘토들은 실제로 '성에너
지의 전환'을 통해 성공을 이루기 위해 어떤 단계를 밟아야
하는지 구체적으로 밝히지 않은 이유는, 이것이 성공의 강
력한 요인이라는 것을 알고 있었지만, 그것을 실제로 어떻
게 발전시켜야 할지 몰랐기 때문이라고 말했습니다.

"생각하라 그리고 부자가 되어라"를 몇 차례 읽고 직접 연구한 사람으로서, 나는 성욕을 창의력과 성취로 전환하기 위해 우리가 무엇을 할 수 있는지 완전히 이해하는 데 있어 힐이 그다지 도움이 되지 않는다는 것에 동의하지 않을 수 없습니다.

지난 몇 년 동안 사람들의 삶의 질을 높이도록 도와온 인생 코치로서, 나는 힐의 책을 매우 면밀하게 연구했고 책에서 잘 설명되지 않은 것을 이해하기 위해 매우 깊이 노력했습니다. 그것을 설명하는 가장 좋은 방법은 당신이 이해하기 쉬운 삽화를 제공하고 우주의 이 위대한 힘을 당신 삶에 적용할 수 있도록 몇 가지 지침을 드리는 것입니다.

성에너지 전환의 기초

우선, 사람들이 성에너지의 전환에 대해 그렇게 혼란스러워하는 주된 이유는, 그들이 '성'을 물리적인 힘 또는 심지어 신체적인 욕구로만 보기 때문입니다.

좋은 인생 코치라면 누구라도 성은 그것보다 훨씬 더 중요하다는 것을 가르쳐줄 것입니다. 성은 육체적인 것일 뿐만 아니라 영적인 것이기도 합니다. 섹스는 영적인 상태를 육체적으로 표현하는 것이며, 그 맥락에서 완전히 벗어나면 대부분의 사람들이 생각하는 것과 다를 바 없습니다. 우리가 여기서 말하는 변화와는 아무 상관 없는 단순한 육체적 욕구입니다.

성은 또한 행동의 강력한 원동력입니다. 미친 듯이 사랑에 빠졌을 때보다 더 많은 에너지와 의지를 가졌던 적이 있었는지 생각해보세요! 인생에서 그것보다 더 많은 펀치를 날린 적은 거의 없을 것입니다. 그렇지 않나요? 성의 힘으로 뒷받침되는 욕망이 인간과 동물 모두에게 가장 강한 감정 중 하나이기 때문입니다.

예를 들어 동물의 경우를 봅시다. 나폴레옹 힐이 그의 책에서 설명했듯이, 거세된 황소는 그렇지 않은 황소와는 반대로 유순해질 것이고, 거세되지 않은 황소는 믿을 수 없을 만큼 사나움을 드러낼 것입니다. 짝짓기하려고 싸우는 동물들을 보세요. 그들은 필요하다면 죽을 때까지 싸울 것입니다. 그렇게 사나운 동물도 거세하기만 하면 양처럼 순해집니다. 싸우려는 욕망이 완전히 사라질 것입니다.

이는 성선(性腺)이 동물과 인간 모두의 "성격"의 일부이기 때문입니다. 그것이 원동력입니다.

성에너지를 성공 욕구로 전환하기

성에너지를 성공으로 전환할 수 있는 유일하고 확실한 채널은 뇌입니다. 의식적으로 이 힘을 사용해서 사업, 경력 또는 어떤 것이든 성취하고 싶은 것으로 전환할 수 있습니다. 좋은 생각으로 보이는데, 그렇다면 어떻게 해야 할까요?

이 모든 것은 사업과 경력, 목표와 같은 삶의 다른 영역으로 그러한 원동력을 정신적으로 돌리겠다는 의식적인 결정을 내리는 것으로 귀결됩니다. 여기서 의식적인 결정이라 할 때 내가 말하는 것은, 더 나은 결과를 얻기 위해 잠재의식도 함께 동참해야 한다는 것을 의미합니다.

내가 이것을 성공적으로 하도록 도움을 준 매우 유용한

도구는 명상과 최면입니다. 여기서 최면이라 함은 TV에 나오는, 현실 감각을 잃어버리는 최면술을 말하는 것이 아니라, 이루고자 하는 것을 성취하고, 에너지를 전달하고, 성공과 부를 끌어오기 위해 성에너지를 성공적으로 전환할 수 있는지 가르쳐주는 이른바 **자기 최면(self hypnosis)**을 말하는 것입니다.

성에너지를 목표에 반영하기

이것이 쉽다고 거짓말하지는 않겠지만, 지식과 연습을 통해 성에너지를 다른 힘으로 전환하는 방법을 배울 수 있습니다. 그러기 위해서는 명상법을 배우고 자기 최면에 적응하고, 매일 긍정적인 긍정적인 말을 자기 자신에게 들려주는 습관을 들이고, 목표를 적어서 매일 검토하는 것과 같은 도움이 필요할지도 모릅니다.

잠재의식 - 성공의 열한 번째 단계

나폴레옹 힐은 잠재의식을 생각을 떠올리거나 철회할 수 있는 파일 캐비닛에 비유했습니다. 마찬가지로, 현대의 다른 자기계발 전문가들은 잠재의식을 의식으로부터 모든 종류의 정보와 데이터를 받는 테이프 레코더에 비유했습니다. 그리고 의식은 그런 정보나 데이터를 잠재의식에 심거나 기록하는 것을 돕습니다.

잠재의식에 새로운 정보를 심는 데 있어 어려움은 무엇일까?

잠재의식에 대한 지식을 접한 이들에게도 인생에서 원하는 것을 이루는 데 '힘든 시간'이 여전히 존재하는 이유는 무엇일까요?

그 이유는 새 테이프로 오래된 테이프를 지울 수 없는 이유와 같습니다.

생각해보세요. 만약 옛날 노래가 녹음된 녹음기나 CD가 있고, 그 위에 다른 노래를 덧씌우려고 무척 애쓰지만 녹음 버튼을 누를 줄 모른다면? 그전까지는 신곡을 녹음할 수 없겠죠?

신곡을 계속 틀고 있는데도 레코더를 확인할 때마다 옛날 노래가 계속해서 흘러나옵니다. 당신은 새 노래를 틀어보려고 해도 오래된 노래가 왜 계속 남아 있는지 궁금하고 답답해지겠죠. 여기서 당신이 모르고 있는 것은 낡은 노래를 지우고 새 노래로 대체하려면 "녹음"이라고 쓰여 있는 작은 버튼을 눌러야 한다는 것입니다. 버튼을 누르지 않으면 얼굴이 파랗게 질릴 때까지 새 노래를 녹음해서 틀 수 없습니다.

우리의 잠재의식이 작동하는 방식도 이와 똑같습니다. 예를 들어 영화 "시크릿(The Secret)"을 본 사람들이 그것이 자기에게는 효과가 없다고 말하는 것도 바로 이 때문입니다. 아주 오랫동안 영화 "시크릿"을 볼 수는 있지만, "내면의 녹음 버튼"을 누르지 않는다면, 잠재의식은 아무것도 바꾸지 않을 것이고, 따라서 당신의 삶에 어떤 변화도 일어나지 않을 것입니다.

잠재의식에 새로운 정보를 어떻게 심을 수 있을까?

잠재의식의 녹음 버튼을 어떻게 찾을까요? 없애고 싶은 오래된 아이디어 위에 새로운 아이디어를 기록할 수 있는 계기를 어디서 찾을 수 있을까요?

그 소중한 장소, 잠재의식의 녹음 버튼은 오감을 사용하여 감정을 통해 가장 잘 찾을 수 있습니다. 이 자리에 매우 쉽게 접근할 수 있는 방법은 의식과 잠재의식 사이의 수호자 관문과 같은 결정적 요소에 이르는 것입니다. 그 마음의 문은 세 가지 다른 도구를 사용하면 쉽게 도달할 수 있습니다.

잠재의식에 도달하는 최선의 방법은 무엇인가?

개인적으로 나는 이 세 가지 간단한 도구를 사용하여 잠재의식에 접근하고 낡은 정보를 새로운 정보로 대체합니다. 이 도구는 확언, *비전 보드* 그리고 *자기 최면*입니다. 이 도구들이 어떻게 도움이 되는지 살펴보겠습니다.

노트 : 감정을 포함할 때 확언과 비전 보드는 잘 작동합니다. 자기 최면에 대해서는 조금 다르게 작용합니다.

1. 확언

자기 대화라고도 불리는 확언은 하루 종일 계속해서 자신에게 들려주는 긍정적인 진술입니다. 하지만 그런 확언은 다섯 가지 감각 중 하나 또는 전부 다 사용하여 그 안에 감정을 불어 넣을 때 진정 효과가 있습니다.

예를 들어, 하루 종일 "나는 부유하다"고 말하면서도 내가 얼마나 파산했는지에 대해 생각하는 것을 멈출 수 없다면, 그 확언은 아무 효과 없을 것입니다. 마치 녹음 버튼을 누르지 않고 신곡을 재생하는 것과 같습니다. 확언을 반복

할 때는 오감을 통해 그것을 느끼고 믿어야 합니다. 다시 말해, 그것에 대해 "진짜 감정적"으로 될 필요가 있습니다.

2. 비전 보드

비전 보드는 확언과 같은 일을 하지만, 눈앞에 시각적인 표시를 두는 것입니다. 물리적인 것이든 디지털적인 것이든 이미지를 보면 감정과 느낌, 믿음을 통해 잠재의식 속에 그런 이미지를 심을 필요가 있습니다. 잊지 마세요. 그것이 "녹음 버튼"이라는 것을.

3. 자기 최면

잠재의식에 이르기 위해 나는 자기 최면을 사용합니다. 이것을 TV에서 봤을 법한 최면술과 혼동해서는 안 됩니다. 여기서는 깨어 있는 상태와 수면 상태 사이에서 의식을 줄곧 유지하고, '핵심 요소'가 더 쉽게 도달하여 잠재의식의 문을 여는 유형의 최면을 말하는 것입니다.

이 방법을 사용할 때는 감정보다 듣는 것에 집중해야

합니다. 나머지는 긍정적인 확언의 기록과 잠재의식이 알아서 할 것입니다.

성공한다는 것은 항상 잠재의식 속에 새로운 데이터를 넣는 것을 포함하며, 그것을 어떻게 해야 하는지 아는 것은 당신의 삶을 최선의 것으로 변화시킬 것입니다. 그런 기술을 마스터하면, 원하는 모든 것을 끌어당길 수 있습니다.

뇌 - 성공의 열두 번째 단계

뇌, 이 중요한 부분이 없으면 우리는 움직일 수도, 말할 수도, 볼 수도, 느낄 수도, 냄새를 맡을 수도, 생각할 수도 없습니다. 심지어 속눈썹 하나도 들어 올릴 수 없습니다. 뇌가 없으면 우리는 기본적으로 "아무것도 아니며", 집어 들어 옮겨야 하는 순수한 물건으로 전락할 것입니다.

그러나 위에서 언급한 모든 행동과 그 이상의 것에 책임이 뇌에 있음에도 불구하고, 뇌에는 많이 알려지지 않은 측면이 있습니다. 사실, 많은 사람들이 뇌의 이런 속성을 완전히 무시하거나 망각하곤 합니다.

이 챕터에서는 뇌의 이 측면에 대해 이야기하고, 이것이 당신의 성공을 어떻게 돕는지 알아보겠습니다.

뇌 - 방송국이자 수신국

뇌에 대해 많이 알려지지 않은 속성은 뇌가 생각을 방송하고 수신하는 곳이라는 것입니다. 라디오가 소리를 전달하기 위해 에테르를 통해 전파를 방송하는 것것처럼 뇌는 생각을 방송하고 수신할 수 있습니다.

뇌는 어떻게 생각을 보내고 받을 수 있는 걸까요?

뇌가 생각을 어떻게 주고받을 수 있는지 잘 이해하려면, 먼저 우리가 무엇으로 만들어져 있는지 기억해야 합니다. 당신이 보는 모든 것, 나무와 집, 당신이 딛는 땅, 거실의 가구, 반려동물이나 당신 자신은 모두 에너지로 이루어져 있습니다. 보고 들을 수 있는 것, 볼 수 없고 들을 수도 없는 것, 존재하는 모든 것의 이면에는 에너지가 있습니다. 예를 들어, 전파는 존재하지만 눈에 보이지 않습니다. 개는 들을 수 있지만 사람에게는 들리지 않는 소리도 있습니다. 이 모든 것은 에너지가 다른 주파수로 움직이고 있는 것입니다.

우리는 생각을 보거나 듣거나 만질 수 없지만, 그것이 존재한다는 것을 알고 있습니다. 매일 수천 개의 생각이 우리의 머릿속을 지나갑니다. 몸이 깊이 잠들어 움직이지 않고 무의식 상태에 있을 때도, 생각이 꿈의 형태로 나타납니다. 생각 또한 에너지입니다.

생각을 만들어내는 매개체는 뇌이며, 하나의 뇌에서 다른 뇌로 생각을 방송하고 수신할 수 있는 것도 바로 이 매개체입니다.

방송과 수신의 생생한 증거

전혀 모를 수도 있겠지만, 다른 사람의 뇌에서 일어나는 일을 너무나 강하게 느껴 고통마저 느낄 수 있는 사람들이 있습니다. 아마도 믿기 어려울지도 모릅니다. 하지만 사실입니다. 내가 그런 사람 중 하나라로 말할 수는 없지만, 내 어머니에게는 이런 능력이 많았습니다. 최근에 나는 자신이 "엠파스(empath)"라고 부르는 마음에 대한 글을 쓰는 한 여자의 블로그를 읽었습니다. 엠파스는 무의식적으로 다른 사람의 고통에 찬 생각을 읽을 수 있는 사람을 말합니다.

블로글에 올린 글에서 그녀는 갑자기 딸들에게 극심한 분노를 느꼈던 때를 묘사했습니다. 하지만 딸들과 매우 잘 지내고 있어서 그녀가 분노를 느낄 이유는 전혀 없었습니다. 얼마 지나지 않아, 그녀는 같은 방에 있던 한 여성이 그런 감정 속에 있었다는 것을 알게 되었습니다.

딸들에게 이유 없는 분노를 느꼈던 여성은 다른 사람의 생각을 받아들이는 능력이 매우 강해서 방에 있는 낯선 사람의 생각까지도 포착하여 그 생각의 결과를 느낄 수 있었습니다. 극렇게 타인의 생각을 무의식적으로 받아들이는 강한 능력을 가진 사람을 "엠파스"라고 부릅니다. 그러나 진실은, 의식적으로 알지 못하더라도, 어느 정도는 우리 모두 엠파스라는 것입니다.

예를 들어, 쇼핑몰과 같은 혼잡한 곳에서 시간을 보내고 나서 매우 지치고 피곤함을 느껴본 적이 있나요? 내게는 항상 있는 일입니다. 그래서 나는 사람이 붐비는 장소를 좋아하지 않습니다. 사람이 많은 곳에서 시간을 보낸 후

기력이 빠지는 것을 느끼는 것은 뇌가 많은 타인의 생각을 수신하고 있으며 아마도 그 중 많은 부분이 상당히 부정적이기 때문일 것입니다. 그렇게 낯선 생각이 밀물처럼 밀려들면 몸은 탈진하고 피로가 쌓이기 마련입니다.

붐비는 곳을 떠날 때 느끼는 것이 이런 감정, 느낌입니다. 8시간 일하는 것보다 쇼핑몰에서 보내는 2시간이 나를 더 피곤하게 만드는 이유를 이제라도 이해하게 되어 정말 다행이었습니다.

뇌파 수신과 송신을 유익하게 활용하기

지금까지 이 모든 이야기가 재미있고 좋다는 것은 알지만, 이것이 성공과 무슨 상관이 있을까요? 뇌, 이것이 성공으로 가는 열두 번째 단계가 맞습니까? 네, 맞습니다. 뇌의 이 환상적인 능력을 어떻게 자신의 이익을 위해, 그리고 성공을 추구하기 위해 활용할 수 있는지 설명하겠습니다.

나폴레옹 힐이 아주 잘 표현했듯이, 창조적 상상력은 뇌의 수신 세트입니다. 다시 말해, 발명가는 다른 뇌로부터

"생각을 수신하는" 능력이 뛰어나다고 할 수 있지만, 그들만이 그런 것은 아닙니다. 발명가의 뇌와 우리의 뇌와 다르지 않습니다. 단지 그들은 더 높은 주파수에서 작동하도록 뇌를 **자극하는** 방법을 배웠을 뿐입니다. 복잡하게 들리나요? 그렇지 않습니다.

다른 뇌의 생각을 쉽게 수신할 수 있는 사람들은 단지 그들의 진동을 높였을 뿐입니다.

진동이란 무엇이며 어떻게 높일 수 있을까?

진동은 에테르를 통해 밖으로 내보내는 에너지입니다. 진동이 무엇인지 간단명료하게 설명하면, *생각의 바로미터(barometer)*와 같다고 할 수 있습니다. 긍정적이고 행복한 생각은 진동을 높이고, 부정적이고 어두운 생각은 진동을 떨어뜨립니다. 진동이 낮을수록 뇌는 성공을 이끌 수 있는 다른 생각을 수신할 수 없게 됩니다.

하지만, 만약 **끌어당김의 법칙**과 그 모든 것이 어떻게 작동하는지 공부했다면, 원하는 것과 원하지 않는 것을 끌어당기기로 결정했을 때, 갑자기 어떤 생각이 떠오르거나 원하는 것과 원하는 곳으로 인도하는 무언가에 끌리게 된다는 것을 알게 됩니다. 우리는 이것을 "힌트(hint)"라고 부릅니다. 그러나 같은 주파수로 진동하는 생각을 가진 다른 뇌로부터 신호를 수신하는 것은 진실로 당신의 뇌입니다. 이것이 성공을 향해 뇌파를 이용하는 것입니다.

그러므로 항상 진동을 높이려고 노력해야 합니다. 왜냐하면 그것이 당신의 뇌파(방송)를 더 높은 수준으로 올려줄 것이기 때문입니다. 그래야 더 높은 진동을 가진 사람들로부터도 신호를 받을 수 있을 것입니다.

육감(六感) - 성공의 열세 번째 단계

나폴레옹 힐의 "생각하라 그리고 부자가 되어라"에서

성공으로 가는 마지막 단계는 '여섯 번째 감각(The Sixth Sense), 즉 육감(六感)'입니다. 하지만 진실로, 육감이란 무엇일까요?

이것에 대해서는 많은 사람들이 매우 불분명합니다. 사람들은 육감이 진짜가 아니거나 아무나 얻을 수 없는 일종의 허구의 힘이라고 믿습니다. 어느 쪽이든, 유감이 실제로 무엇이고 성공과 어떤 관련이 있는지에 대해서는 많은 혼란이 있습니다.

육감이란 무엇인가?

어떤 사람들은 육감의 진정한 정의가 무엇인지에 대해 허구적인 이상한 힘으로 묘사하는 이야기나 영화 등으로 대중을 혼란시키려 하지만, 육감은 단순히 사물에 대한 추가적인 인식일 뿐입니다.

다시 말해, 육감은 **직관**이 당신에게 말하는 것입니다. 직관은 당신이 어떤 길을 가야 하는지, 어떤 선택을 해야 하는지 알려주려고 메시지를 보내는 내면의 인식입니다.

우리 대부분은 살면서 적어도 한번은 육감을 경험합니다. 많은 이들이 육감이라는 추가적 인식을 거의 경험하지 못하는 유일한 이유는 그것이 전혀 배양되지 않았고 심지어 많은 경우 거부당했기 때문입니다.

어떤 유형의 사람들이 육감을 더 많이 가지고 있을까?

내면에 더 가까워질수록, 추가적 인식과 접촉하는 것이 더 쉬워질 것입니다. 많은 사람들이 직관 수준이 매우 낮거나 아예 없는 이유는 그들이 *내면의 자아, 진정한 자아*로부터 멀리 떨어져 있기 때문입니다. 나는 그런 사람들을 "영적인 사람"과 반대로 "육적인 사람"이라고 부릅니다.

"영적"이라고 말할 때, 영성을 오직 종교에 연결해서 생각하는 사람도 있지만, 나는 종교적인 것을 의미하는 것이 아닙니다. 나는 전혀 영적이지 않은 종교인 몇 명을 알고 있으며, 반대로 종교인이 아니면서도 매우 영적인 사람을 알고 있습니다.

같은 방식으로, 나는 더 높은 힘(또는 하나님)에 대한 믿음을 거의 또는 전혀 나타내지 않는 소위 종교인이라 불리는 사람들도 보았고, 자신보다 더 높은 존재나 신이 있다고 확신하고 자신이 하는 모든 일에서 그 존재에 대한 믿음을 드러내는 비종교인들을 본 적 있습니다.

수년에 걸친 연구와 관찰을 통해, 육감, 추가적 인식, 직관, 뭐라고 부르든 간에 더 많은 것을 가지고 있는 사람들은 진정한 영성을 개발한 사람들이라는 것이 내게는 매우 분명해졌습니다. 문제는 이 부분에서 자신이 부족하다고 느낄 때 어떻게 그런 영성을 키울 수 있느냐 하는 것입니다.

육감을 어떻게 개발할 수 있을까?

어떤 사람들은 다른 사람보다 영적인 문제에 더 자연스럽게 기울어진다는 것은 의심의 여지가 없습니다. 분명히 천성적으로 그렇게 타고나는 사람도 있습니다. 나는 어렸을 때부터 항상 내면의 힘과 그것에 대해 더 많이 배울 수 있는 방법에 매력을 느꼈습니다.

남들이 말하거나 가르치는 것을 곧이곧대로 믿지는 않았습니다. 반대로, 모든 것에 항상 질문을 던졌습니다. 나는 주변 사람들이 한 번도 생각해본 적도 없거나 물어보기 두려워하는 질문을 항상 더 깊이 파고들려고 노력했습니다. 내가 주변의 누구보다 더 똑똑했기 때문일까요? 아니요, 당연히 아닙니다! 나는 똑똑한 것이 아니라 주변 사람들 대부분보다 영적인 문제에 관심이 더 많았을 뿐입니다. 그리고 이것이 나로 하여금 마음의 힘에 열정을 갖게 만들고 잠재의식과 우주의 법칙을 연구하게 한 것입니다.

말했듯이, 모든 사람이 마음과 영적인 힘에 자연스럽게 기울어지는 것은 아니므로 괜찮습니다. 하지만, 만약 당신이 이 글을 읽을 만큼 충분히 관심이 있었다면, 그것은 당신의 내면이 당신에게 무언가를 말하려 하기 때문입니다.

육감, 직관, 마음의 평화 등과 같은 내적 인식을 개발하는 가장 좋은 방법은 그것에 대해 더 많이 배우는 것입니다. 오늘날에는 전자책, 앱 프로그램 등 마인드파워에 대해 배울 수 있는 엄청나게 많은 도구와 정보가 있습니다. 읽을 수 있는 블로그도 있고 상담할 수 있는 전문가도 있습니다. 지식과 노하우는 진실로 손만 뻗으면 닿을 수 있는 곳에 있으며, 인생에서 더 나은 결과를 위해 정신에 영향을 미칠 더 많은 영성, 더 많은 통찰력, 더 많은 육감을 개발하는 것은 당신 자신에게 달려 있습니다.

마지막으로

모세 할머니는 이렇게 말씀하셨습니다. "인생은 우리가 만드는 거란다. 항상 그랬고 앞으로도 그럴 거야."

이것이 우리가 원하는 삶을 "창조하기" 위해서 이 13단계를 사용해야 하는 이유입니다. 이를 위해 활용할 수 있는 원천은 우리를 만드는, 매우 깊은 부분의 우리 자신인 잠재의식입니다.

당신은 현재의 잠재의식을 가지고 태어나지 않았습니다. 당신의 잠재의식은 당신이 어렸을 때, 그리고 수년에 걸쳐 배우고 경험한 것에 의해 형성되었습니다. 이 과정을 이해하고 나면, 자신의 삶에서 원하는 것을 끌어당기기 위해 잠재의식을 계속 형성하거나 바꿀 수 있습니다. 해야 할 일은 위에서 설명한 대로 이전 데이터 위에 새 데이터를 덮어씌우기만 하면 됩니다.

욕망하고 원하는 것에 대한 믿음을 이용해 잠재의식에 데이터를 재구성하기 위해 노력할 때, **자기 대화**(자기암시), 전문지식, 체계화된 계획, 상상력, 끈기를 통해 새로운 삶을 창조할 수 있습니다.

뇌는 당신이 "완벽하게" 하지 않더라도 성공을 위한 13단계를 함께하도록 도울 경이로운 기계입니다. 성공하기 위해서 완벽할 필요는 없지만, 시작은 해야 합니다. 지금 바로 "당신"이 할 수 있는 최선의 방법으로 단계를 적용하기 시작하세요. 시간이 흐를수록 당신의 마음과 전체 인격이 성장하기 시작한다는 것을 알게 될 것입니다.

여러 가지 일들이 일어나고 찾고 있는 것을 계속 끌어당기게 될 것입니다. 파괴적인 것에 대한 취향이 점점 줄어들고 *건설적인* 것에 대한 취향이 점점 더 커질 것입니다. 적절한 상황과 사람들이 나타나기 시작할 것입니다. 당신은 끝내주는 **끌어당김의 법칙**을 적용하게 될 것입니다.

성공은 누구나 배울 수 있습니다.

Sylviane